D1243752

El Pájaro de los Mil Cantos / The Bird of a Thousand Songs
ISBN: 978-958-59243-4-5

1ª edición, diciembre de 2014, 2000 ejemplares
2ª edición, diciembre de 2015, 1000 ejemplares
3ª edición, mayo de 2016, 1000 ejemplares
1ª reimpresión de la 3ª edición, julio de 2016, 2300 ejemplares.
2ª reimpresión de la 3ª edición, noviembre de 2016, 2000 ejemplares.
3ª reimpresión de la 3ª edición, abril de 2017, 1.000 ejemplares.

© 2017 Luabooks S A S
www.luabooks.com
Bogotá D.C., Colombia

Textos e ilustraciones de Lizardo Carvajal

Traducción al inglés: Renée Gabrielle Purdy
Diagramación: Juan David Saab
Corrección de estilo: Melisa Restrepo Molina

Todos los derechos reservados. Prohibida su reproducción total o parcial por cualquier medio sin permiso del Editor.

Impreso por Nomos Impresores
Impreso en Colombia - *Printed in Colombia*

Lizardo Carvajal

El Pájaro de los Mil Cantos

LuaBooks®

Cuentan los que cuentan cuentos, que en lo más profundo de la selva existe el pájaro más misterioso de todos los que puedan habitar en la oscuridad. Aunque jamás se le ha visto, dicen que es capaz de imitar perfectamente el canto de todos los otros pájaros.

In the deepest darkness of the jungle exists a bird that storytellers say is the most mysterious bird that lives. Although this bird has never been seen, they say that he is able to perfectly mimic the songs of all the other birds.

Durante un tiempo se pensó que el Pájaro de los Mil Cantos era el sinsonte. Sin embargo, de acuerdo con registros milenarios, el sinsonte solo alcanza a imitar 400 lenguas.

For some time, it was thought that the cenzontle was the Bird of a Thousand Songs. However, according to ancient records, the cenzontle can only imitate 400 tongues.

CHIEF EGAN'S HORSE MISSES
PRESIDENT DE LA RÉPUBLIQUE
CHANCELLOR BEGS FOR ORDER
FLEES TO HOLLAND
ΜΑΤΙΚΑΙ
(Mimus polyglottos)
IS AMAZE

Afirman los que lo han escuchado, que el Pájaro de los Mil Cantos puede remedar a la perfección el trinar de las aves más comunes, como el tucán:

"criop criop iowic iowic"

Those who have heard the Bird of a Thousand Songs say that he can perfectly reproduce the songs of common birds like the toucan:

"kiop kiop owik owik"

También puede reproducir la contagiosa
risa del cucaburra:

"jajajajajajaja jo-jo-jo-jo"

He can also reproduce the boisterous
laugh of the kookaburra:

"hohohahaha ho-ho-ho-ho ho-ho"

Y el enérgico zumbar del colibrí:

"zzzzzzzuuuuuu"

And the energetic hum of the hummingbird:

"zzzzzzooooooooooo"

El Pájaro de los Mil Cantos también es capaz de repetir el gorjear de los pájaros más exóticos, como el silencioso canto del Pájaro Mariposa:

"zaz... zaz..."

The Bird of a Thousand Songs is also able to repeat the songs of the most exotic birds, like the lulling song of the Butterfly Bird:

"zaz... zaz..."

Nada ha impedido que falsifique el elocuente trino del Pájaro de las Palabras:

"bla bla bla blaaaaa bla-bla bla-bla"

Nothing has stopped him from falsifying the eloquent trill of the Bird of Words:

"bla bla bla blaaaaa bla-bla bla-bla"

Ni las aves de exquisita música se han escapado de ser plagiadas por el Pájaro de los Mil Cantos. Al Pájaro Trompeta le sabe imitar muy bien:

"tarara tá, tarara tá"

Not even the most exquisite musical birds have been able to save themselves from being plagiarized by the Bird of a Thousand Songs. This bird can imitate the blare of the Trumpet Bird very well:

"tarara taaa, tarara taaa"

Al mismo Pájaro Piano, repleto de notas y cromatismos,
le ha copiado perfectamente su armónica melodía:

“do-mi-sol-do”

The Piano Bird has also had its harmonic tune,
filled with notes and melodies, perfectly copied:

“do-mi-sol-do”

Ni siquiera el ave más hermosa del reino de los cielos, la Mujer Pájaro, se ha escapado de ser remedada en su hermoso canto:

"dan din duri dan din dero"

Not even the Lady Bird, the most beautiful bird in the sky's kingdom, has escaped from having her beautiful song mimicked:

"dan din doori dan din dero"

Sin dificultad parece repetir el incuestionable canto del Pájaro de las Preguntas:

“qué-qué-qué por qué”

He can equal the unquestionable song of the Bird of Questions:

“wa, wa, wa, wa, why, why”

CR

Su provocación ha llegado al punto de desafiar el canto del Pájaro Bicicleta:

"trin-trinnnn"

His teasing has even reached the point of defying the trill of the Bicycle Bird:

"tring-tringggg"

10
11
12
1
2
3
4
5
6
7
8
9

Para el Pájaro de los Mil Cantos fue fácil copiar la tonada del Pájaro del Tiempo:

"tic-tac tic-tac cú-cú cú-cú"

For the Bird of a Thousand Songs, it is easy to copy the tune of the Bird of Time:

"tick-tock tick-tock, coo-coo coo-coo"

Igual que el cantar del Pájaro Globo:

"juuuuu, juuuuuu"

And also the song of the Hot Air Balloon Bird:

"whoooo, whooooo"

Ni siquiera sintió compasión al remedar el tristísimo llanto del Pájaro Jaula:

"waaaaa, waaaaa"

He did not feel any compassion when he imitated the sad cry of the Cage Bird:

"waaah, waaaah"

Ni tampoco la canción de la

Pajarita de Papel:

"koré, koré"

Nor when he imitated the song of the

Little Paper Bird:

"crinkle, crinkle"

1929
BY
ROBERT B. THOMAS

El Pájaro de los Mil Cantos también imita la aterradora tonada del Espanta Granjeros:

"crouc, crouc"

The Bird of a Thousand Songs can also mimic the terrifying tune of the Scare-Farmer Bird:

"cawww cawww"

Y también el canto del Pájaro Gramófono:

"contigo soñé, contigo soñé"

He can also sing the song of the Gramophone Bird:

"I dream about you, I dream about you"

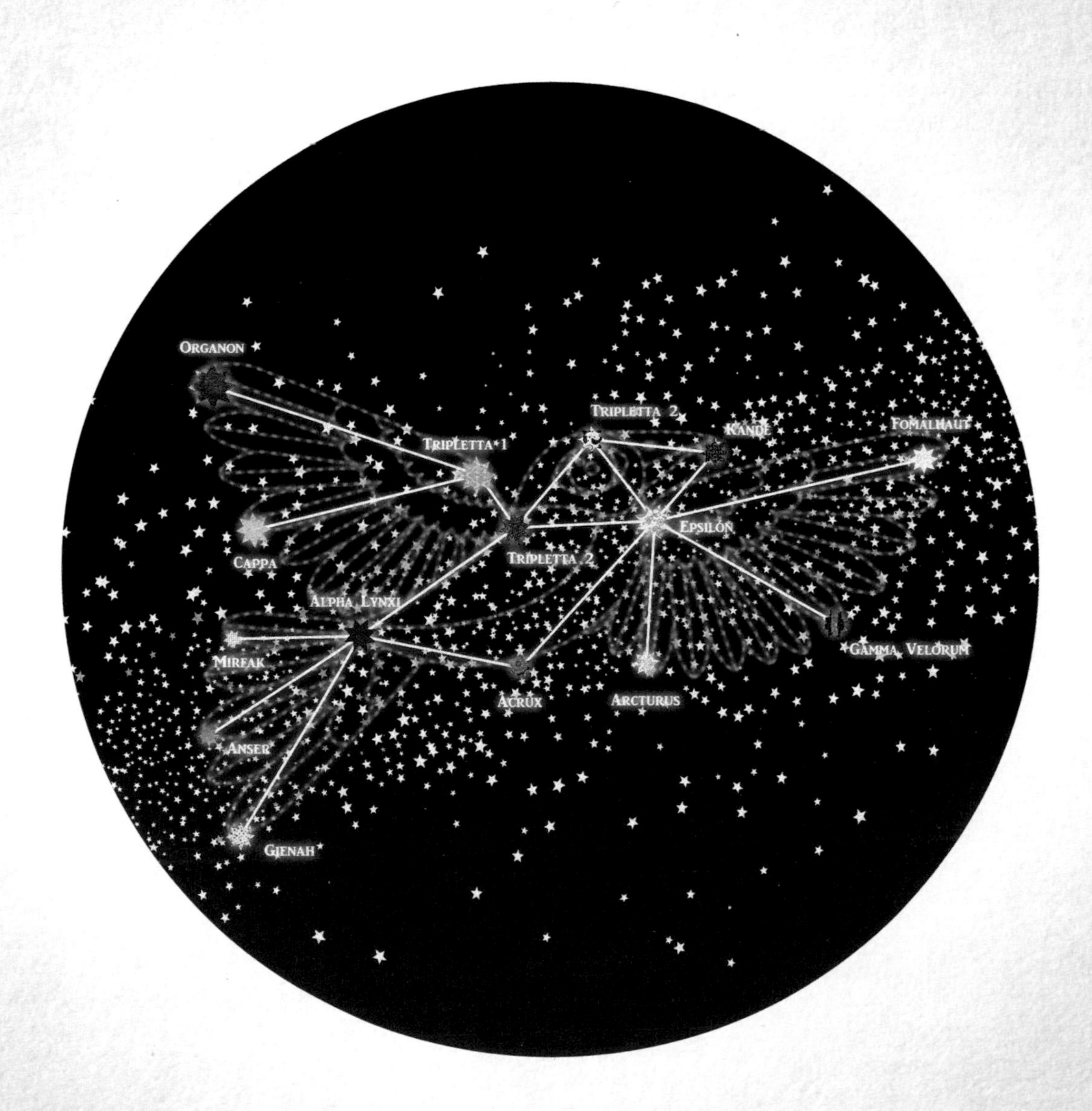
Organon
Tripletta 1
Tripletta 2
Kande
Fomalhaut
Cappa
Tripletta 2
Epsilón
Alpha Lynxi
Mirfak
Acrux
Arcturus
Gamma Velorum
Anser
Gienah

Y el canto de la Constelación del Pájaro:

"tin, tin, tin"

And the song of the Bird Constellation:

"ding-ding"

No falta quien afirma que el Pájaro de los Mil Cantos es capaz de imitar el sonido de otros animales, incluso de los más peligrosos, como el rugir del leopardo:

"groooouuu grooooUU"

People agree that the Bird of a Thousand Songs is also able to imitate the sounds of other animals, including the most dangerous ones, like the growl of the leopard:

"grrroowww grrrroowww"

Muchos han querido encontrar al Pájaro de los Mil Cantos. Se dice que el famoso ornitólogo y explorador sir William McCrow, dedicó toda su vida a descubrir este extraño animal sin jamás lograr encontrarlo.

Many people have tried to find the Bird of a Thousand Songs. It is said that Sir William McCrow, the famous explorer and ornithologist, dedicated his whole life to discovering this strange animal without ever finding him.

SCOTLAND
Sir William McCrow

Milleglottes Nonexistiere
VI. Part. 2
Posiblemente su membrana debajo
del pico le sirve para guardar y
memorizar los sonidos producidos por
otros animales.
Part. 1
VI. Part. 2
VI. Part. 1
En la parte superior del cráneo,
posee una especie de flauta, por
donde pueden salir los sonidos que
guarda en su membrana.
VI. Part. 3
VI. Part. 3
Posiblemente sus patas son las
que le permiten escapar tan
rápidamente y ser casi invisible.
S. William Mc. Crow
London 15 de diciembre de 1923

Otros se preguntan cuál es el verdadero sonido del Pájaro de los Mil Cantos, cuál es su verdadero cantar; pero nadie ha sido capaz de encontrar una respuesta a esta pregunta.

Others wonder about the Bird of a Thousand Songs' trill. They wonder what his own song sounds like, but no one has ever been able to find the answer to this question.

Hay quienes dicen que el Pájaro de los Mil Cantos no existe. Y en algo tienen razón, porque quien no tiene su propio canto es como quien no existe.

Some say that the Bird of a Thousand Songs does not exist. There may be some truth to what they say, because without one's own song, it is as though one does not exist.

Lizardo Carvajal

Nació en 1979 en la ciudad de Cali, Colombia. Desde el año 2005 dedica su tiempo a producir música y literatura infantil y juvenil. Su obra se caracteriza por la simplicidad y frescura de sus historias que al mismo tiempo plantean, a niños y adultos, cuestiones profundas de la vida.

Actualmente vive en Moncton NB, Canadá, desde donde escribe e ilustra sus libros en su "taller de pájaros".

Lizardo Carvajal was born in 1979 in Cali, Colombia. He has dedicated himself to the artistic production of music and children's and youth literature since 2005. His work is characterized by simple and refreshing stories which bring children and adults to raise profound life questions.

He currently lives in Moncton NB, Canada, where he writes and illustrates his books in his "bird workshop".

Otras obras como autor

El vendedor de sandías (2015); El fantástico aviario de Sir William Mc Crow (2015); Malaika, la princesa (2015); Un gato de verdad (2015)

Otras obras como ilustrador:

Érase una mujer (2015); El hombre extraño (2016)

¿Qué más puedes hacer con este libro?

1 Animarlo con el BirdTron

Descarga gratis la aplicación BirdTron y anima cada uno de los pájaros del libro.

Descárgala gratis en: www.luabooks.com/birdtron

2 Disfrutar su versión interactiva

Visita www.luabooks.com/online e ingresa el código que encontrarás al final de este libro.

Traducido y narrado en múltiples idiomas

Podrás leer el texto en diez idiomas, y escuchar la narración en cuatro lenguas diferentes. Además puedes activar la opción "nárralo tu mismo".

Totalmente animado

Podrás ver el movimiento de cada uno de los 23 pájaros que componen el libro. Además podrás escuchar su canto una y otra vez.

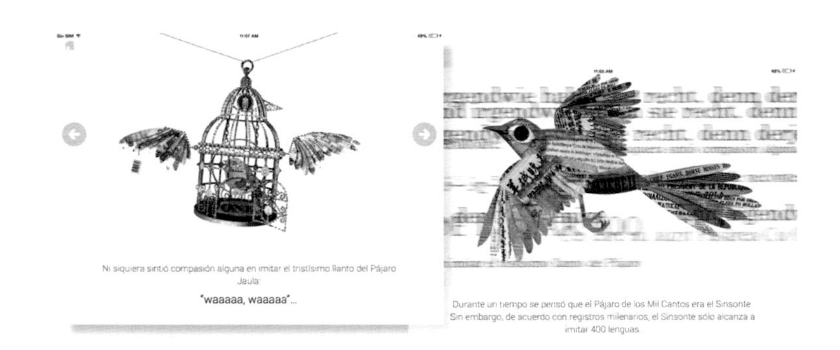

Fantásticas interacciones

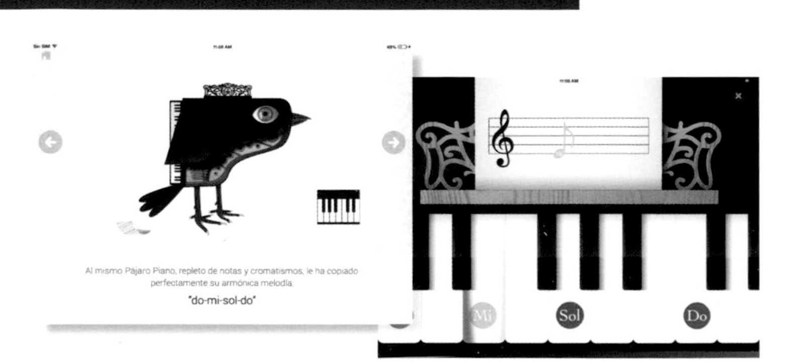

Puedes interactuar con cada uno de los pájaros. Toca el Pájaro Piano para convertirlo en un piano de verdad.

Preciosa música original

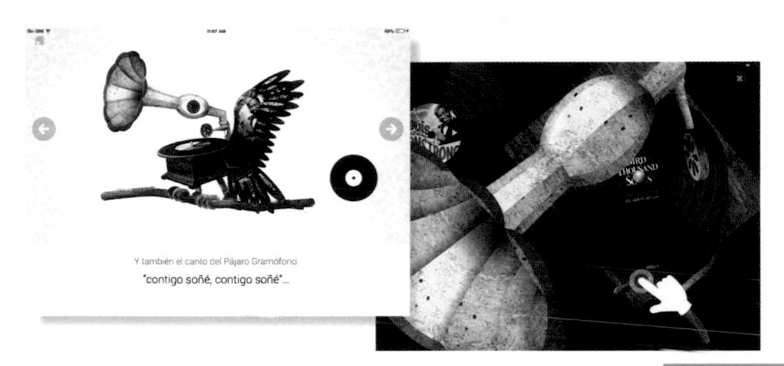

Disfruta de una música totalmente original y hecha a medida. Cada tema músical guarda una profunda relación con su respectivo pájaro.

Zona de juegos y actividades

Disfruta de tres juegos diseñados para aprender y divertirse; combinando los pájaros del libro y escuchando sonidos nuevos.

Incluye El Fantástico Aviario de Sir William McCrow

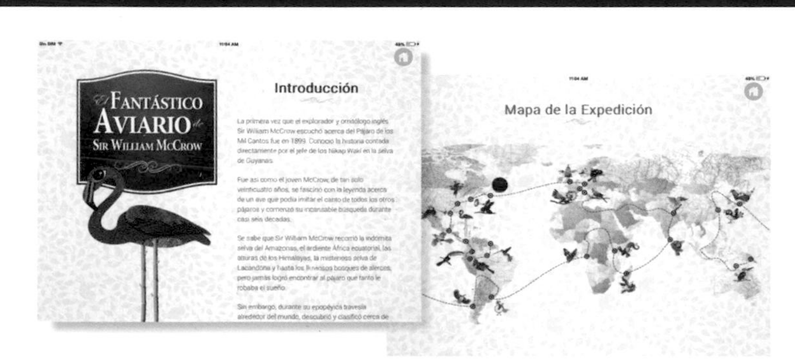

Podrás leer el diario del famoso ornitólogo que dedicó toda su vida a encontrar al Pájaro de los Mil Cantos. Una aventura alrededor del mundo, llena de fantasía.

Aprende más con la guía didáctica

El Pájaro de los Mil Cantos está lleno de cientos de secretos. Descúbrelos con ayuda de la Guía didáctica para padres y maestros.

Descárgala gratis en: www.luabooks.com/guias

PROMESA LUABOOKS

Querido lector,

Qué alegría que tengas este libro en tus manos. Ha recorrido un largo camino para llegar finalmente a ti. Es fruto de horas de trabajo en equipo, de un cuidadoso diseño, de mucho empeño y cariño puesto en cada etapa.

Nuestros libros han sido pensados para llevar a los niños un contenido nutritivo, profundo y respetuoso. Creemos que dentro de cada niño habita un sabio; un sabio que merece respeto, cuidado y contenidos de calidad.

Por eso todos nuestros libros se enmarcan en la promesa LuaBooks. Un manifiesto que alimenta cada día de nuestro quehacer y que ahora queremos compartir contigo.

Se basa en cinco compromisos:

1. Produciremos libros con sentido, de calidad literaria y gráfica, que guarden el más profundo respeto por la infancia y la juventud.
2. No dejaremos que criterios comerciales se impongan sobre las buenas ideas.
3. Publicaremos aquello que consideremos importante decir, aunque no sea rentable.
4. La promoción del concepto de libertad entre jóvenes y niños será nuestro principal objetivo.
5. Guardaremos el más profundo respeto a las culturas, religiones y razas y promoveremos la tolerancia y el respeto.

Ahora eres parte de nuestra promesa y en nombre de todo el equipo de LuaBooks queremos decirte.

¡Muchas gracias!

bot4Ch9V2mFGiKXZ
699